iEdutainments Limited
The Old Post House
Radford Road
Flyford Flavell
Worcestershire
WR7 4DL
England

Company Number: 7441490
First Edition: iEdutainments Ltd 2014

English Version

Illustrated by Andy Garnica

LEARNBOTS®

LEARN 101 JAPANESE VERBS IN 1 DAY

with the LearnBots

by Rory Ryder

Illustrations Andy Garnica

Published by:

iEdutainments Ltd.

Introduction

Memory

When learning a language, we often have problems remembering the (key) verbs; it does not mean we have totally forgotten them. It just means that we can't recall them at that particular moment. So this book has been carefully designed to help you recall the (key) verbs and their conjugations instantly.

The Research

Research has shown that one of the most effective ways to remember something is by association. Therefore we have hidden the verb (keyword) into each illustration to act as a retrieval cue that will then stimulate your long-term memory. This method has proved 7 times more effective than just passively reading and responding to a list of verbs.

Beautiful Illustrations

The LearnBot illustrations have their own mini story, an approach beyond conventional verb books. To make the most of this book, spend time with each picture and become familiar with everything that is happening. The Pictures involve the characters, Verbito, Verbita, Cyberdog and the BeeBots, with hidden clues that give more meaning to each picture. Some pictures are more challenging than others, adding to the fun but, more importantly, aiding the memory process.

Keywords

We have called the infinitive the (keyword) to refer to its central importance in remembering the 36 ways it can be used. Once you have located the appropriate keyword and made the connection with the illustration, you can then start to learn each colour-tense.

Colour-Coded Verb Tables

The verb tables are designed to save you further valuable time by focusing all your attention on one color tense allowing you to make immediate connections between the subject and verb. Making this association clear and simple from the beginning will give you more confidence to start speaking the language.

LearnBots Animations

Each picture in this book can also be viewed as an animation for FREE. Simply visit our animations link on www.LearnBots.com

Master the Verbs

Once your confident with each colour-tense, congratulate yourself because you will have learnt over 3600 verb forms, an achievement that takes some people years to master!

So is it really possible to "Learn 101 Verbs in 1 Day"?

Well, the answer to this is yes! If you carfully look at each picture and make the connection and see the (keyword) you should be able to remember the 101 verb infinitives in just one day. Of course remembering all the conjugations is going to take you longer but by at least knowing the most important verbs you can then start to learn each tense in your own time.

Reviews

Testimonials from Heads of M.F.L. & Teachers using the books with their classes around the U.K.

"This stimulating verb book, hitherto a contradiction in terms, goes a long way to dispelling the fear of putting essential grammar at the heart of language learning at the early and intermediate stages.
Particularly at the higher level of GCSE speaking and writing, where many students find themselves at a loss for a sufficient range of verbs to express what they were/ have been/ are and will be doing, these books enhances their conviction to express themselves richly, with subtlety and accuracy.
More exciting still is the rapid progress with which new (Year 8) learners both assimilate the core vocabulary and seek to speak and write about someone other than 'I'.
The website is outstanding in its accessibility and simplicity for students to listen to the recurrent patterns of all 101 verbs from someone else's voice other than mine is a significant advantage.
I anticipate a more confident, productive and ambitious generation of linguists will benefit from your highly effective product."

Yours sincerely

Andy Smith, Head of Spanish, Salesian College

After a number of years in which educational trends favoured oral fluency over grammatical accuracy, it is encouraging to see a book which goes back to the basics and makes learning verbs less daunting and even easy.At the end of the day,verb patterns are fundamental in order to gain linguistic precision and sophistication, and thus should not be regarded as a chore but as necessary elements to achieve competence in any given language.

The colour coding in this book makes for quick identification of tenses, and the running stories provided by the pictures are an ideal mnemonic device in that they help students visualize each word. I would heartily recommend this fun verb book for use with pupils in the early stages of language learning and for revision later on in their school careers.

It can be used for teaching but also, perhaps more importantly, as a tool for independent study.The website stresses this fact as students can comfortably check the pronunciation guide from their own homes.This is a praiseworthy attempt to make Spanish verbs more easily accessible to every schoolboy and girl in the country.

Dr Josep-Lluís González Medina Head of Spanish
Eton College

We received the book in January with a request to review it - well, a free book is always worth it.We had our apprehensions as to how glitzy can a grammar book be? I mean don't they all promise to improve pupils' results and engage their interest?

So, imagine my shock when after three lessons with a mixed ability year 10 group, the majority of pupils could write the verb 'tener' in three tenses- past, present and future. It is the way this book colour

codes each tense which makes it easy for the pupils to learn. With this success, I transferred the information onto PowerPoint and presented it at the start of each class as the register was taken, after which pupils were asked for the English of each verb.This again showed the majority of pupils had taken in the information.
I sent a letter home to parents explaining what the book entailed and prepared a one-off sample lesson for parents to attend. I had a turnout of 20 parents who were amazed at how easy the book was to use. In March, the book was put to the test of the dreaded OFSTED inspector. Unexpectedly, she came into my year 10 class as they were studying the pictures during the roll call - she looked quite stunned as to how many of the verbs the pupils were able to remember. I proceeded with my lesson and during the feedback session she praised this method and thought it was the way forward in MFL teaching.
Initially we agreed to keep the book for year 10's but year 11 was introduced to the book at Easter as a revision tool.They were tested at the start of each lesson on a particular tense and if unsure were given 20 seconds to concentrate on the coloured verb table and then reciting it.There was a remarkable improvement in each pupils progress.- I only wish we had have had access to the book before Christmas in order to aid them with their coursework- But with this said the school achieved great results. In reviewing the book I would say "No more boring grammar lessons!!! This book is a great tool to learning verbs through excellent illustrations.A must-have for all language learners."

Footnote:

We have now received the new format French and the students are finding it even easier to learn the verbs and we now have more free time.

Lynda McTier, Head of Spanish Lipson Community College

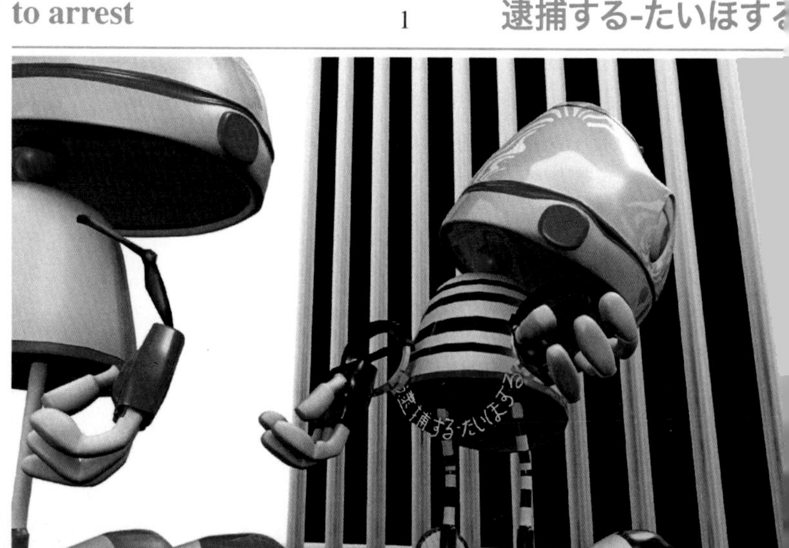

www.learnbots.co

Formal

たいほします	たいほしません	たいほしました	たいほしま せんでした
たいほしています	たいほしていません	たいほしていました	たいほしてい ませんでした

Informal

たいほする	たいほしない	たいほした	たいほし なかった
たいほしている	たいほしていない	たいほしていた	たいほして いなかった

www.learnbots.com

Formal			
つきます	つきません	つきました	つきませ んでした
ついています	ついていません	ついていました	ついていませ んでした

Informal			
つく	つかない	ついた	つかなかった
ついている	ついていない	ついていた	ついてい なかった

www.learnbots.co

Formal

たのみます	たのみません	たのみました	たのみませ んでした
たのんで います	たのんていません	たのんていました	たのんでいま せんでした

Informal

たのむ	たのまない	たのんた	たのまな かった
たのんでいる	たのんていない	たのんでいた	たのんでい なかった

www.learnbots.com

Formal

です	ではありません	でした	ではありま せんでした

Informal

た	じゃない	だった	じゃなかった

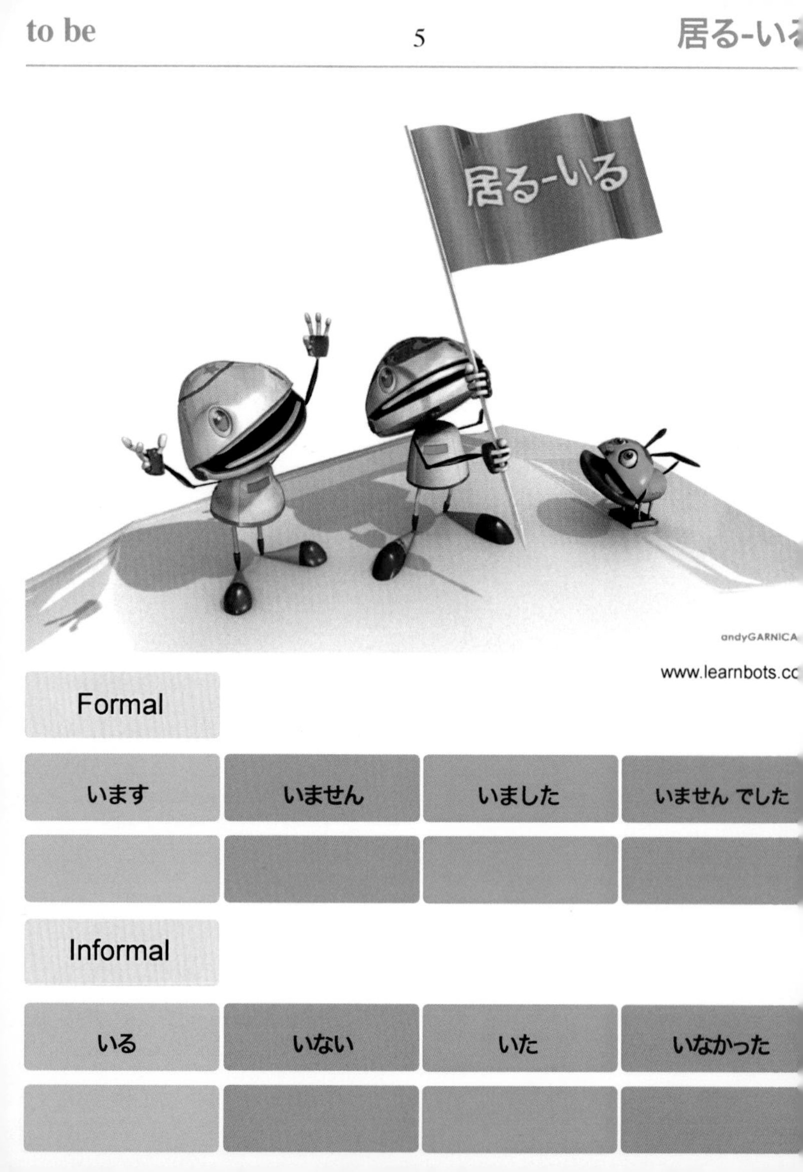

www.learnbots.co

Formal

いります	いません	いました	いません でした

Informal

いる	いない	いた	いなかった

www.learnbots.com

Formal

できます	できません	できました	できませ んでした
できています	できていません	できていました	できていま せんでした

Informal

できる	できない	できた	できなかった
できている	できていない	できていた	できてい なかった

www.learnbots.c

Formal

しずかに します	しずかにしません	しずかにしました	しずかにしませんでし
しずかにし ています	しずかにしていません	しずかにしていました	しずかにしていません でした

Informal

しずか にする	しずかにしない	しずかにした	しずかにし なかっ
しずかに している	しずかにしていない	しずかにしていた	しずかにして いな かった

andyGARNICA

www.learnbots.com

Formal

はこびます	はこびません	はこびました	はこびませ んでした
はこんで います	はこんでい ません	はこんで いました	はこんでいま せんでした

Informal

はこぶ	はこばない	はこんた	はこばな かった
はこんでいる	はこんていない	はこんでいた	はこんでいなかった

andyGARNICA

www.learnbots.co

Formal

つくります	つくりません	つくりました	つくりませ んでした
つくって います	つくってい ません	つくってい ました	つくっていま せんでした

Informal

つくる	つくらない	つくった	つくらな かった
つくっている	つくって いない	つくっていた	つくってい なかった

www.learnbots.com

Formal

かいます	かいません	かいました	かいませ んでした
かっています	かっていません	かっていました	かっていませんでした

Informal

かう	かわない	かった	かわなかった
かっている	かっていない	かっていた	かっていな かった

www.learnbots.co

Formal			
よびます	よびません	よびました	よびませんでした
よんでいます	よんでいません	よんでいました	よんでいませんでした

Informal			
よぶ	よばない	よんだ	よばなかった
よんでいる	よんでいない	よんでいた	よんでいな かった

www.learnbots.com

Formal

はこびます	はこびません	はこびました	はこびませ んでした
はこんで います	はこんでい ません	はこんで いました	はこんでいま せんで した

Informal

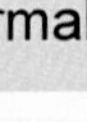

はこぶ	はこばない	はこんた	はこばな かった
はこんでいる	はこんでいない	はこんでいた	はこんでいなかった

Formal

かえます	かえません	かえました	かえませ んでした
かえています	かえてい ません	かえていました	かえていませんでした

Informal

かえる	かえない	かえた	かえなかった
かえている	かえていない	かえていた	かえていな かった

www.learnbots.com

Formal

きれいにします	きれいにしません	きれいにしました	きれいにしませんでした
きれいにしています	きれいにしていません	きれいにしていました	きれいにしていませんでした

Informal

きれい にする	きれいにしない	きれいにした	きれいにし なかった
きれいに している	きれいにしていない	きれいにしていた	きれいにしていなかった

Formal

しめます	しめません	しめました	しめませ んでした
しめています	しめていません	しめていました	しめていませ んでした

Informal

しめる	しめない	しめた	しめなかった
しめている	しめていない	しめていた	しめてい なかった

www.learnbots.com

Formal

とかします	とかしません	とかしました	とかしませ んでした
とかして います	とかしてい ません	とかしてい ました	とかしてい ました

Informal

とかす	とかさない	とかした	とかさな かった
とかしている	とかしていない	とかしていた	とかしていなかった

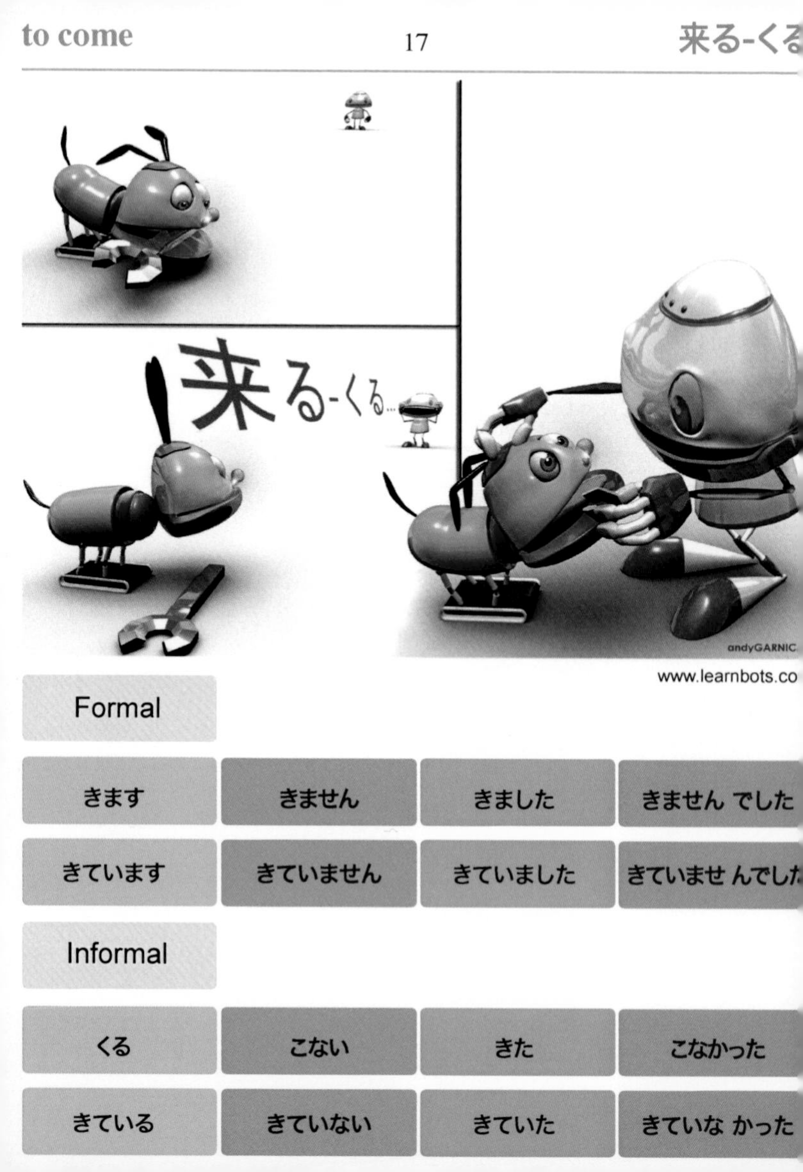

Formal

きます	きません	きました	きません でした
きています	きていません	きていました	きていませ んでした

Informal

くる	こない	きた	こなかった
きている	きていない	きていた	きていな かった

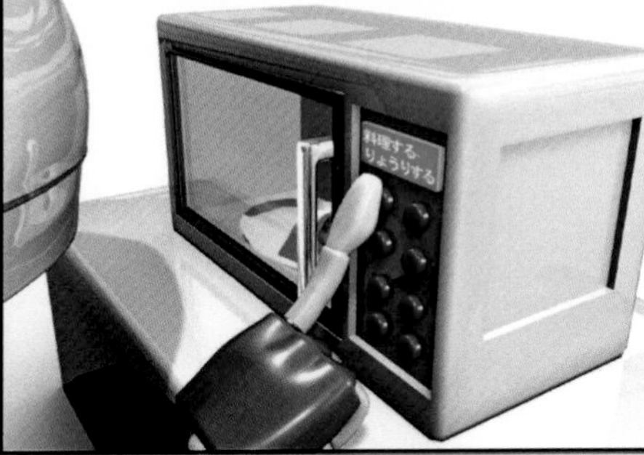

www.learnbots.com

Formal

りょうりします	りょうりしません	りょうりしました	りょうりしません でした
りょうりしています	りょうりしていません	りょうりしていました	りょうりしていません でした

Informal

りょうりする	りょうりしない	りょうりした	りょうりしなかった
りょうりしている	りょうりしていない	りょうりしていた	りょうりしていなかった

www.learnbots.co

Formal

かぞえます	かぞえません	かぞえました	かぞえませ んでした
かぞえて います	かぞえていません	かぞえていました	かぞえていま せん でした

Informal

かぞえる	かぞえない	かぞえた	かぞえな かった
かぞえている	かぞえていない	かぞえていた	かぞえてい なかった

Formal

ぶつかります	ぶつかりません	ぶつかりました	ぶつかりま せんでした
ぶつかっています	ぶつかっていません	ぶつかっていま した	ぶつかってい ませんでした

Informal

ぶつかる	ぶつからない	ぶつかった	ぶつから なかった
ぶつかっている	ていないぶつかっ	ぶつかっていた	ぶつかって いなかった

www.learnbots.co

Formal			
つくります	つくりません	つくりました	つくりませ んでした
つくっています	つくってい ません	つくっていました	つくっていま せんでした

Informal			
つくる	つくらない	つくった	つくらな かった
つくっている	つくっていない	つくっていた	つくってい なかった

www.learnbots.com

Formal

きります	きりません	きりました	きりません でした
きっています	きっていません	きっていました	きっていませんでした

Informal

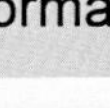

きる	きらない	きった	きらなかった
きっている	きっていない	きっていた	きっていな かった

www.learnbots.co

Formal			
おどります	おどりません	おどりました	おどりませ んでし
おどっています	おどっていません	おどっていました	おどっていま せんでし

Informal			
おどる	おどらない	おどった	おどらな かった
おどっている	おどっていない	おどっていた	おどってい なかっ

www.learnbots.com

Formal

きめます	きめません	きめました	きめませ んでした
きめています	きめてい ません	きめていました	きめていませんでした

Informal

きめる	きめない	きめた	きめなかった
きめている	きめていない	きめていた	きめていな かった

Formal

しめします	しめしません	しめしました	しめしませ んでし
しめしています	しめしていません	しめしていました	しめしていませんでし

Informal

しめす	しめさない	しめした	しめさな
しめしている	しめしていない	しめしていた	しめしていなかった

www.learnbots.com

Formal

みます	みません	みました	みません でした
みています	みていません	みていました	みていませ んでした

Informal

みる	みない	みた	みなかった
みている	みていない	みていた	みていな かった

www.learnbots.co

Formal

のみます	のみません	のみました	のみませ んでした
のんでいます	のんでいません	のんでいました	のんでいませ んでした

Informal

のむ	のまない	のんだ	のまなかった
のんでいる	のんでいない	のんでいた	のんでいなかった

www.learnbots.com

Formal

うんてんします	うんてんしません	うんてんしました	うんてんしませんでした
うんてんしています	うんてんしていません	うんてんしていました	うんてんしていませんでした

Informal

うんてんする	うんてんしない	うんてんした	うんてんしなかった
うんてんしている	うんてんしていない	うんてんしていた	うんてんしていなかった

www.learnbots.co

Formal			
たべます	たべません	たべました	たべませ んでした
たべています	たべていません	たべていました	たべていま せんでした

Informal			
たべる	たべない	たべた	たべなかった
たべている	たべていない	たべていた	たべてい なかった

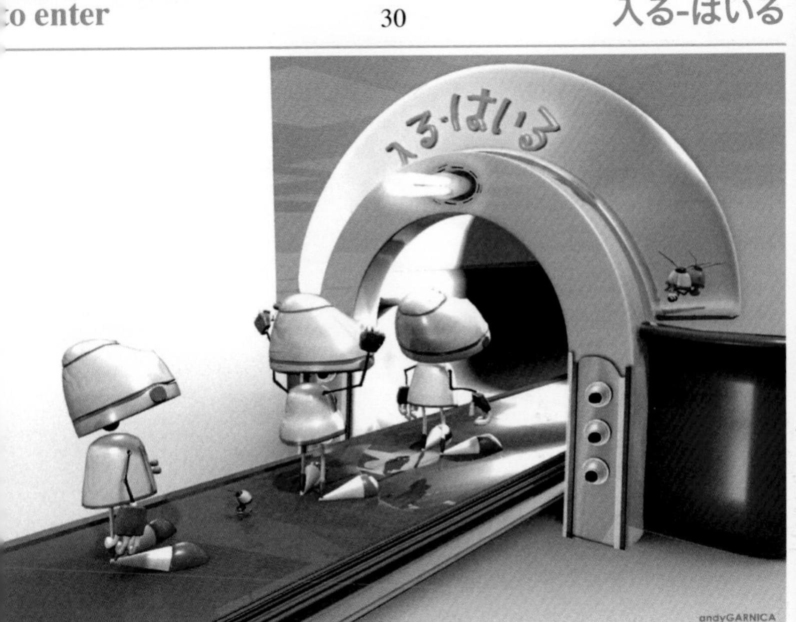

www.learnbots.com

Formal

はいります	はいりません	はいりました	はいりませ んでした
はいって います	はいって いません	はいって いました	はいっていま せんでした

Informal

はいっていま せんでした	はいらない	はいった	はいらな かった
はいっている	はいっていない	はいっていた	はいっていなかった

www.learnbots.co

Formal

おちます	おちません	おちました	おちませ んでした
おちています	おちていません	おちていました	おちていませ んでした

Informal

おちる	おちない	おちた	おちなかった
おちている	おちていない	おちていた	おちてい なかった

www.learnbots.com

Formal

たたかいます	たたかいません	たたかいました	たたかいませんでした
たたかっています	たたかっていません	たたかっていました	たたかっていませんでした

Informal

たたかう	たたかわない	たたかった	たたかわ なかった
たたかっている	たたかっていない	たたかっていた	たたかって いなかった

andyGARNICA

www.learnbots.co

Formal

みつけます	みつけません	みつけました	みつけませ んでした
みつけて います	みつけて いません	みつけて いました	みつけていま せんでし

Informal

みつける	みつけない	みつけた	みつけな かった
みつけている	みつけていない	みつけていた	みつけていなかっ

www.learnbots.com

Formal

おわります	おわりません	おわりました	おわりませ んでした
おわって います	おわって いません	おわって いました	おわっていま せんでした

Informal

おわる	おわらない	おわった	おわらな かった
おわっている	おわっていない	おわっていた	おわっていなかった

www.learnbots.co

Formal

ついてい きます	ついていきません	ついていきました	ついていきませんでし
ついていっ ています	ついていっていません	ついていっていました	ついていっていません でした

Informal

ついていく	ついていかない	ついていった	ついていか なかっ
ついてい っている	ついていっていない	ついていっていた	ついていって いなかっ

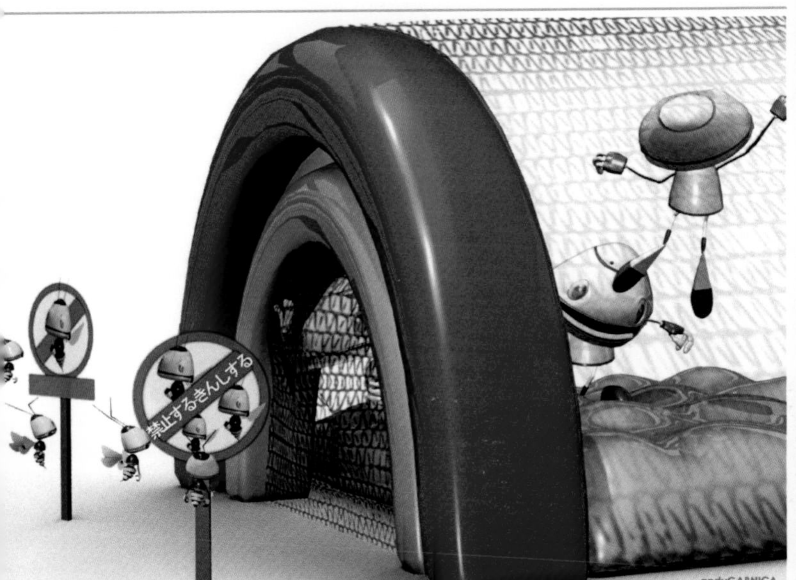

www.learnbots.com

Formal

きんしします	きんししません	きんししました	きんししま せんでした
きんししています	きんししていません	きんししていました	きんししていませんでした

Informal

きんしする	きんししない	きんしした	きんししな かった
きんししている	きんししていない	きんししていた	きんしして いなかった

Formal

わすれます	わすれません	わすれました	わすれませ んでし
わすれて います	わすれていません	わすれていました	わすれていま せんでし

Informal

わすれる	わすれない	わすれた	わすれな かった
わすれている	わすれているいない	わすれていた	わすれてい なかっ

www.learnbots.com

Formal

きます	きません	きました	きませんでした
きています	きていません	きていました	きていませ んでした

Informal

きる	きない	きた	きなかった
きている	きていない	きていた	きていなかった

www.learnbots.cc

Formal

けっこんします	けっこんしません	けっこんしました	けっこんしませんでし

Informal

けっこん する	けっこんしない	けっこんした	けっこんし なかっ

www.learnbots.com

Formal

あげます	あげません	あげました	あげませ んでした
あげています	あげていません	あげていました	あげていま せんでした

Informal

あげる	あげない	あげた	あげなかった
あげている	あげていない	あげていた	あげてい なかった

Formal			
いきます	いきません	いきました	いきませ んでした
いっています	いっていません	いっていました	いっていま せんでした

Informal			
いく	いかない	いった	いかなかった
いっている	いっていない	いっていた	いっていな かった

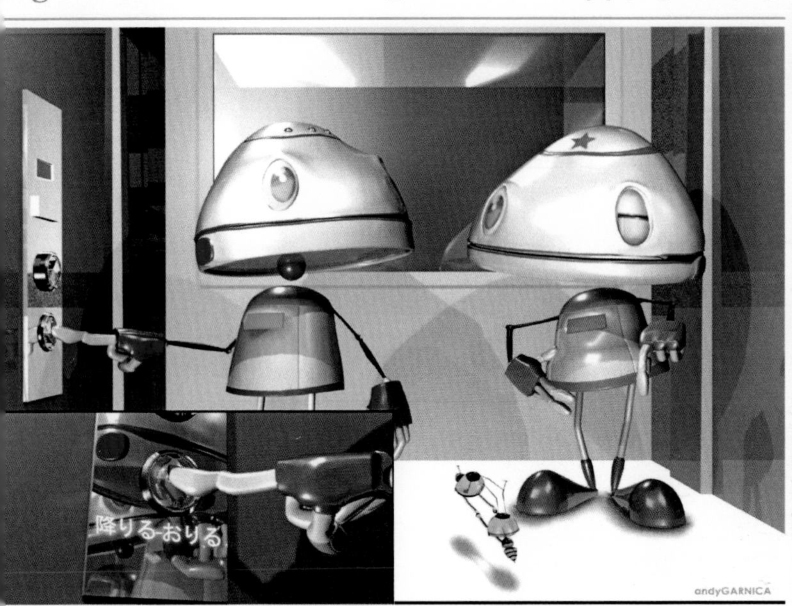

www.learnbots.com

Formal

おります	おりません	おりました	おりません でした
おりています	おりていません	おりていました	おりていませんでした

Informal

おりる	おりない	おりた	おりなかった
おりている	おりていない	おりていた	おりていな かった

Formal

はなれます	はなれません	はなれました	はなれませ んでした
はなれて います	はなれて いません	はなれて いました	はなれていま せんでした

Informal

はなれる	はなれない	はなれた	はなれな かった
はなれている	はなれていない	はなれていた	はなれていなかった

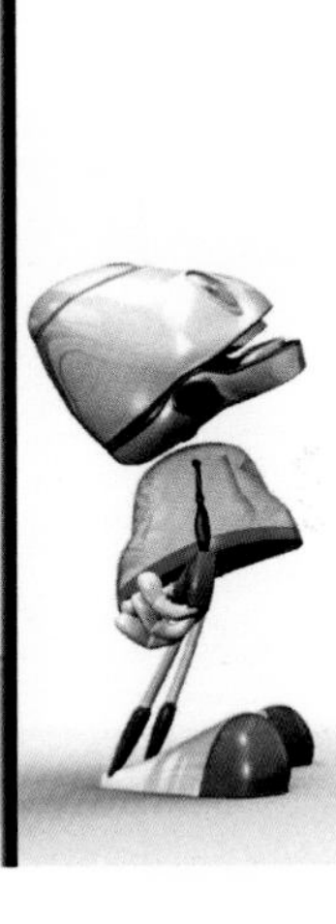

www.learnbots.com

Formal

そだちます	そだちません	そだちました	そだちませ んでした
そだって います	そだってい ません	そだって いました	そだっていま せんでした

Informal

そだつ	そだたない	そだった	そだたな かった
そだっている	そだっていない	そだっていた	そだってい なかった

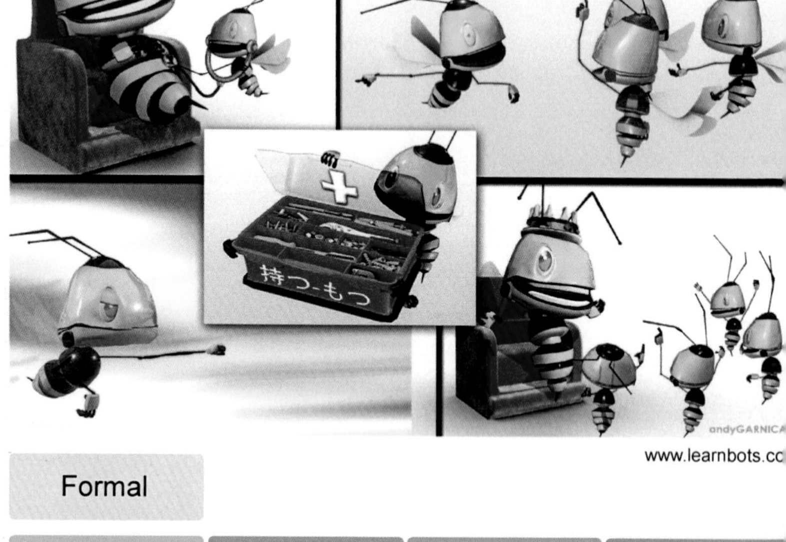

Formal

もちます	もちません	もちました	もちませんでした
もっています	もっていません	もっていました	もっていませんでした

Informal

もつ	もたない	もった	もたなかった
もっている	もっていない	もっていた	もっていなかった

www.learnbots.com

Formal

ききます	ききません	ききました	ききません でした
きいています	きいていません	きいていました	きいていま せんでした

Informal

きく	きかない	きいた	きかなかった
きいている	きいていない	きいていた	きいていな かった

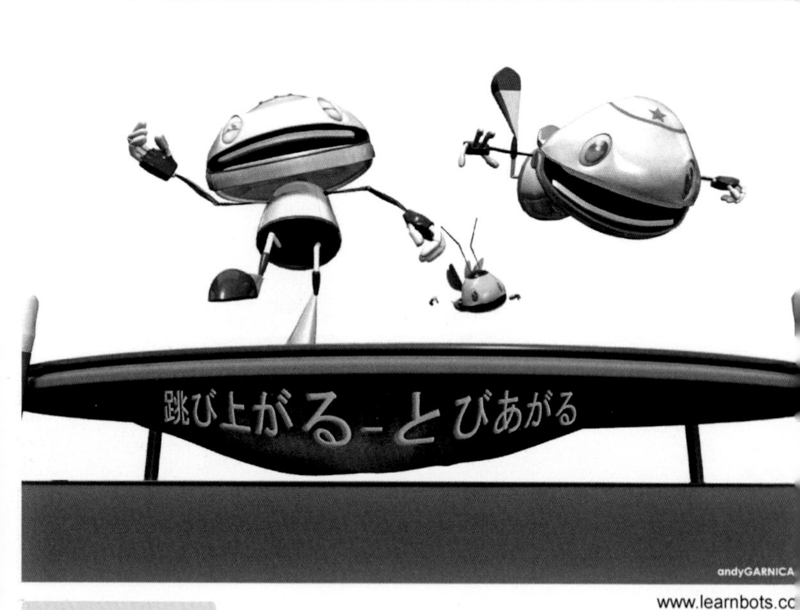

www.learnbots.co

Formal

とびあかります	とびあかりません	とびあかりました	とびあがりませんでし
とびあがっています	とびあがっていません	とびあがっていました	とびあがっていませんでし

Informal

とびあがる	とびあからない	とびあがった	とびあがら なかっ
とびあが っている	とびあがっていない	とびあかっていた	とびあがって いなかっ

www.learnbots.com

Formal

けります	けりません	けりました	けりません でした
けっています	けっていません	けっていました	けっていませ んでした

Informal

ける	けらない	けった	けらなかった
けっている	けっていない	けっていた	けっていな かった

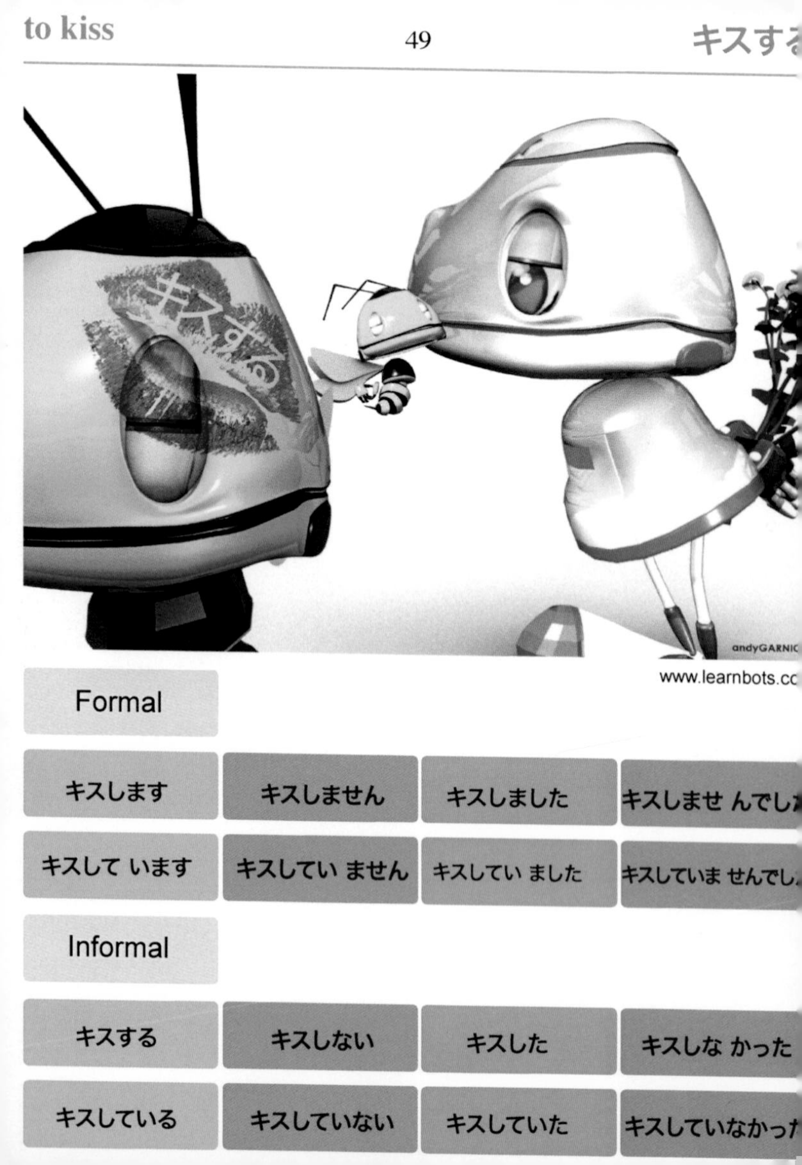

Formal			
キスします	キスしません	キスしました	キスしませ んでし
キスして います	キスしてい ません	キスしてい ました	キスしていま せんでし

Informal			
キスする	キスしない	キスした	キスしな かった
キスしている	キスしていない	キスしていた	キスしていなかっ

www.learnbots.com

Formal			
しってい ます	しりません	しっていました	しりませんでした

Informal			
しっている	しらない	しっていた	しらなかった

www.learnbots.co

Formal			
まなびます	まなびません	まなびました	まなびませ んでした
まなんでいます	まなんでいません	まなんで いました	まなんでいま せんでした

Informal			
なまふ	まなばない	まなんた	まなばな かった
まなんでいる	まなんでいない	まなんでいた	まなんでいまなんでい

www.learnbots.com

Formal

つきます	つきません	つきました	つきました
ついています	ついていません	ついていました	ついていませんでした

Informal

つく	つかない	ついた	つかなかった
ついている	ついていない	ついていた	ついてい なかった

www.learnbots.co

Formal

つけます	つけません	つけました	つけませ んでした
つけています	つけていません	つけていました	つけていま せんでした

Informal

つける	つけない	つけた	つけなかった
つけている	つけていない	つけていた	つけてい なかった

www.learnbots.com

Formal

このみます	このみません	このみました	このみませ んでした
このんでいます	このんでいません	このんでいました	このんでいませんでした

Informal

このむ	このまない	このんだ	このまかった
このんでいる	このんでいない	このんでいた	このんでい なかった

www.learnbots.co

Formal

なくします	なくしません	なくしました	なくしませ んでした
なくしています	なくしてい ません	なくしてい ました	なくしていま せんでした

Informal

なくす	なくさない	なくした	なくさな かった
なくしている	なくして いない	なくしていた	なくしてい なかった

www.learnbots.com

Formal

あいします	あいしません	あいしました	あいしませ んでした
あいして います	あいしてい ません	あいして いました	あいしていま せんでした

Informal

あいす	あいさない	あいした	あいさな かった
あいしている	あいしていない	あいしていた	あいしていなかった

www.learnbots.co

Formal			
つくります	つくりません	つくりました	つくりませ んでした
つくって います	つくってい ません	つくってい ました	つくっていま せんでした

Informal			
つくる	つくらない	つくった	つくらな かった
つくっている	つくっていない	つくっていた	つくっていなかった

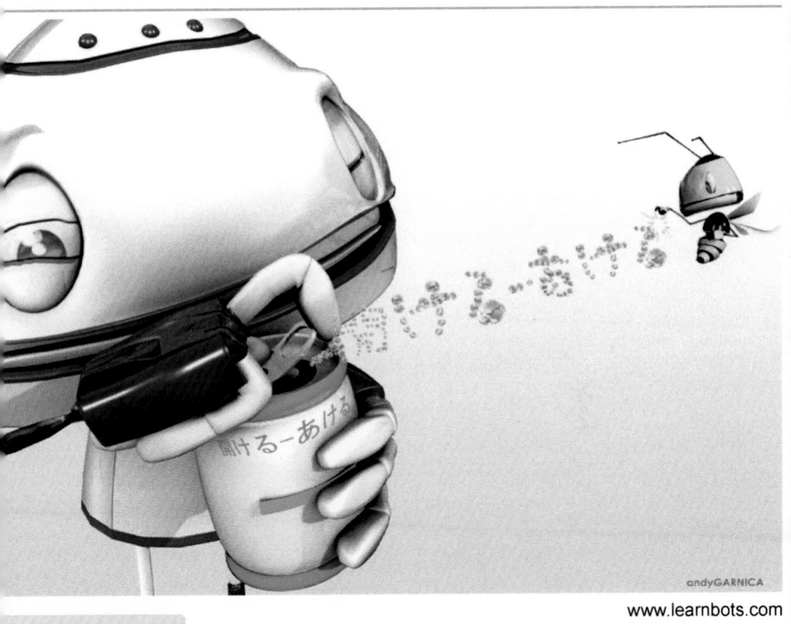

www.learnbots.com

Formal

あけます	あけません	あけました	あけませ んでした
あけています	あけていません	あけていました	あけていませ んでした

Informal

あける	あけない	あけた	あけなかった
あけている	あけていない	あけていた	あけていなかった

www.learnbots.cc

Formal

せいりします	せいりしません	せいりしました	せいりしま せんでした
せいりしています	せいりしていません	せいりしていま した	せいりしてい ません した

Informal

せいりする	せいりしない	せいりした	せいりしな かった
せいりし ている	せいりして いない	せいりしていた	せいりしていなかった

www.learnbots.com

Formal

ぬります	ぬりません	ぬりました	ぬりませ んでした
ぬっています	ぬっていません	ぬっていました	ぬっていま せんでした

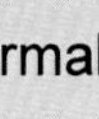

Informal

ぬる	ぬらない	ぬった	ぬらなかった
ぬっている	ぬっていない	ぬっていた	ぬってい なかった

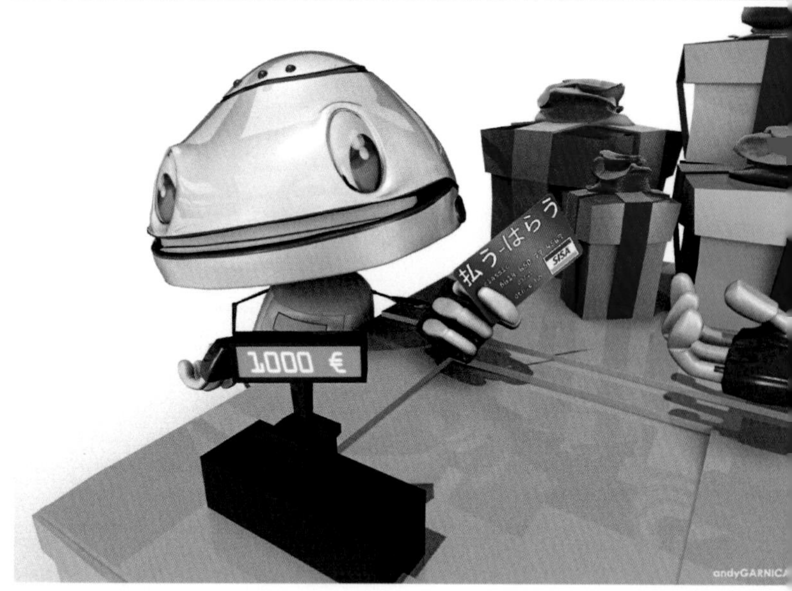

www.learnbots.co

Formal			
はらいます	はらいません	はらいました	はらいませ んでした
はらって います	はらってい ません	はらってい ました	はらっていま せんでした

Informal			
はらう	はらわない	はらった	はらわな かった
はらっている	はらっていない	はらっていた	はらっていなかった

www.learnbots.com

Formal

します	しません	しました	しませんでした
しています	していません	していました	していませ んでした

Informal

する	しない	した	しなかった
している	していない	していた	していなかった

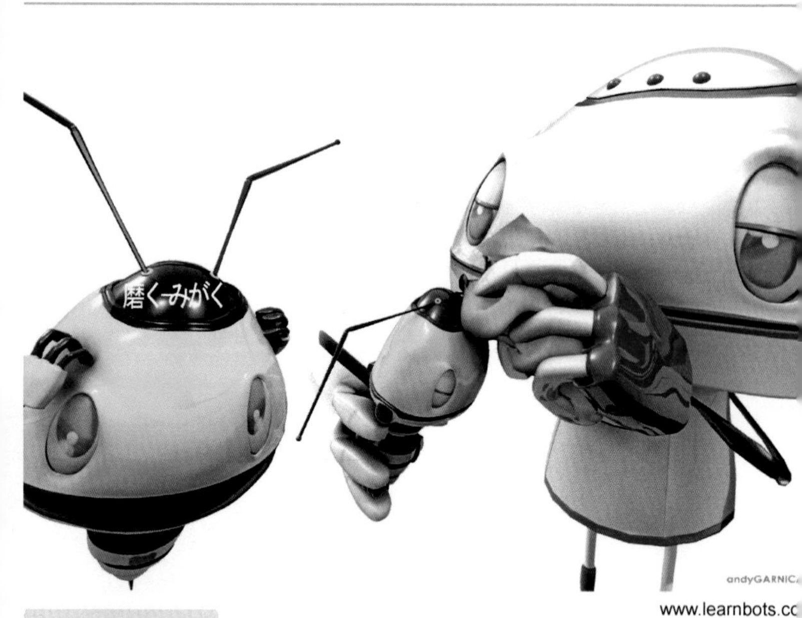

Formal

みがきます	みがきません	みがきました	みがきませ んでし
みがいて います	みがいていません	みがいていました	みがいていま せんでし

Informal

みがく	みがかない	みがいた	みがかな かった
みがいている	みがいていない	みがいていた	みがいてい なかっ

www.learnbots.com

Formal

おきます	おきません	おきました	おきませ んでした
おいています	おいていません	おいていました	おいていませ んでした

Informal

おく	おかない	おいた	おかなかった
おいている	おていない	おいていた	おいてい なかった

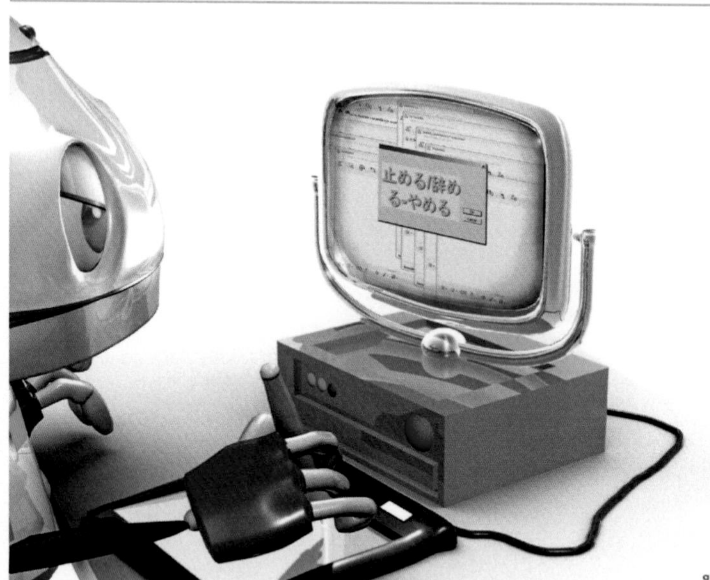

www.learnbots.co

Formal

やめます	やめません	やめました	やめませ んでした
やめています	やめていません	やめていました	やめていま せんでし

Informal

やめる	やめない	やめた	やめなかった
やめている	やめていない	やめていた	やめてい なかった

www.learnbots.com

Formal

ふります	ふりません	ふりました	ふりません でした
ふっています	ふっていません	ふっていました	ふっていま せんでした

Informal

ふる	ふらない	ふった	ふらなかった
ふっている	ふっていない	ふっていた	ふっていな かった

www.learnbots.co

Formal			
よみます	よみません	よみました	よみませ んでした
よんでいます	よんでいません	よんでいました	よんでいませんでした

Informal			
よむ	よまない	よんだ	よまなかった
よんでいる	よんでいない	よんでいた	よんでい なかった

www.learnbots.com

Formal

うけとります	うけとりません	うけとりました	うけとりま せんでした
うけとっています	うけとっていません	うけとっていました	うけとってい ませんでした

Informal

うけとる	うけとらない	うけとった	うけとらな かった
うけとっている	うけとっていない	うけとっていた	うけとっていなかった

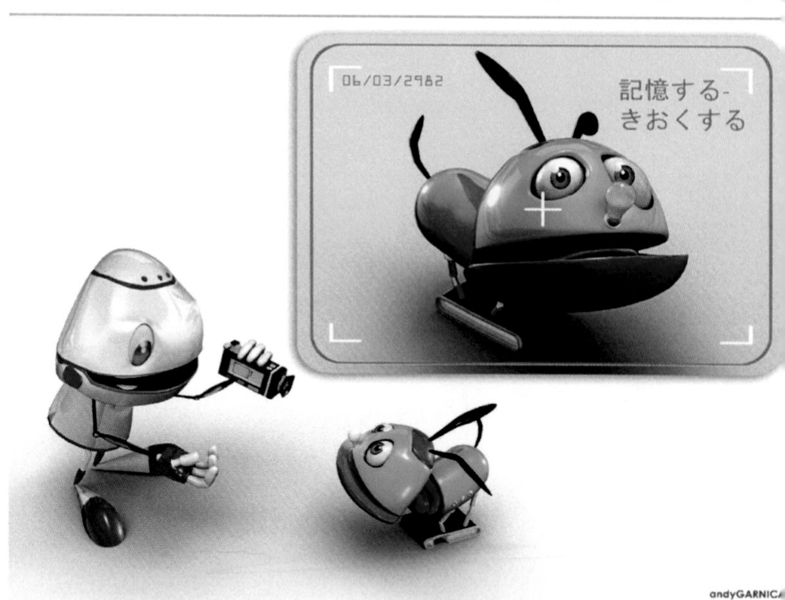

www.learnbots.c

Formal

かいます	かいません	かいました	かいませ んでし
かっています	かっていません	かっていました	かっていませんでし

Informal

かう	かわない	かった	かわなかった
かっている	かっていない	かっていた	かっていな かっ

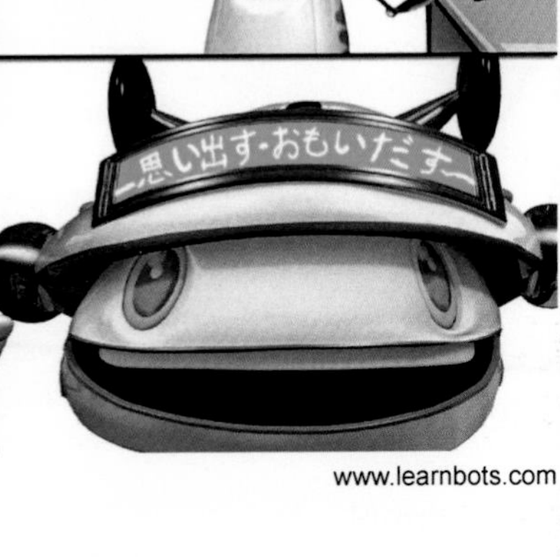

andyGARNICA

www.learnbots.com

Formal

おもいだ します	おもいたしません	おもいたしました	おもいだしま せんでした
おもいだし ています	おもいだしていません	おもいだしていました	おもいだしてい ませんでした

Informal

おもいだす	おもいたさない	おもいだした	おもいださ なかった
おもいだ している	おもいだしていない	おもいたしていた	おもいだして いなかった

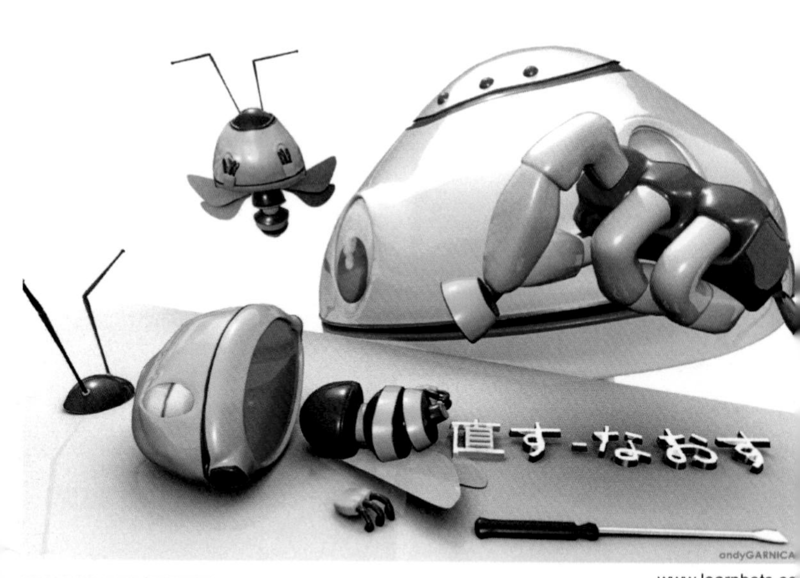

www.learnbots.co

Formal

なおします	なおしません	なおしました	なおしませ んでした
なおして います	なおしてい ません	なおして いました	なおしていま せんでし

Informal

なおす	なおさない	なおした	なおさな かった
なおしている	なおして いない	なおしていた	なおしてい なかった

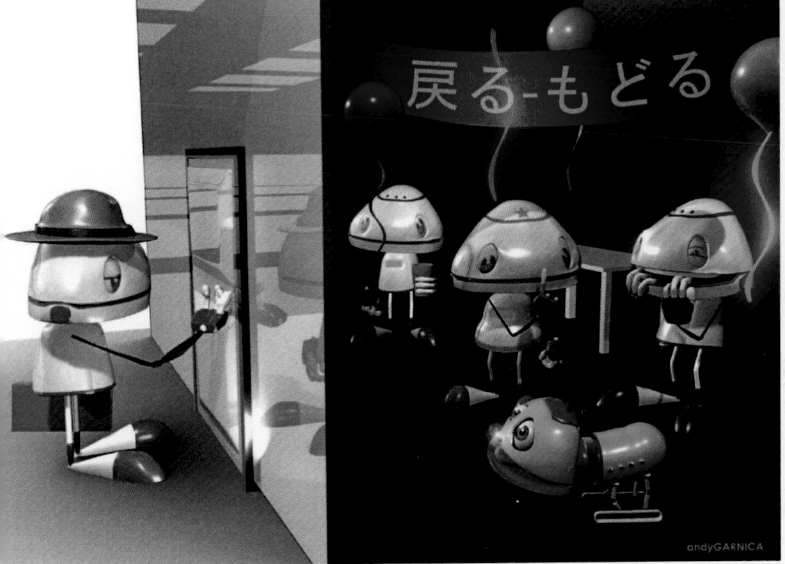

www.learnbots.com

Formal

もどります	もどりません	もどりました	もどりませ んでした
もどって います	もどってい ません	もどってい ました	もどっていま せんでした

Informal

もどる	もどらない	もどった	もどらなかった
もどっている	もどって いない	もどっていた	もどっていなかった

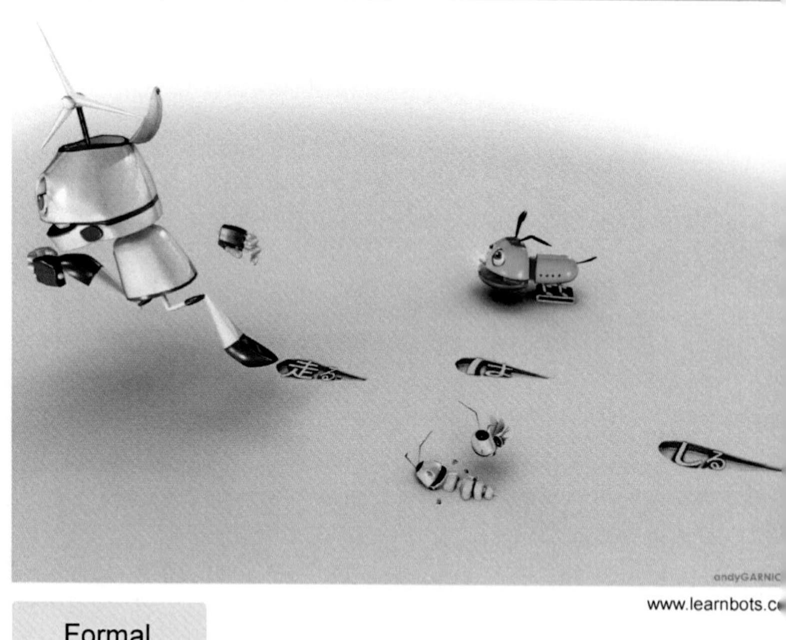

www.learnbots.c

Formal			
はしります	はしりません	はしりました	はしりませ んでし
はしっています	はしってい ません	はしってい ました	はしっていま せんでし

Informal			
はしる	はしらない	はしった	はしらな かった
はしっている	はしって いない	はしっていた	はしってい なかっ

www.learnbots.com

Formal			
さけびます	さけびません	さけびました	さけびませ んでした
さけんで います	さけんでい ません	さけんで いました	さけんでいま せんでした

Informal			
さけふ	さけばない	さけんた	さけばな かった
さけんでいる	さけんていない	さけんでいた	さけんでいなかった

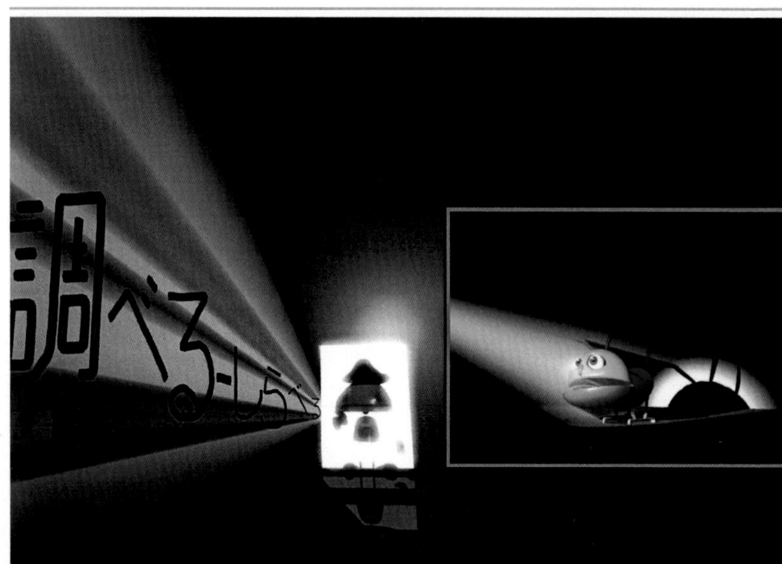

www.learnbots.cc

Formal

しらべます	しらべません	しらべました	しらべませ んでし
しらべて います	しらべてい ません	しらべてい ました	しらべていま せんでし

Informal

しらべる	しらべない	しらべた	しらべな かった
しらべている	しらべて いない	しらべていた	しらべてい なかっ

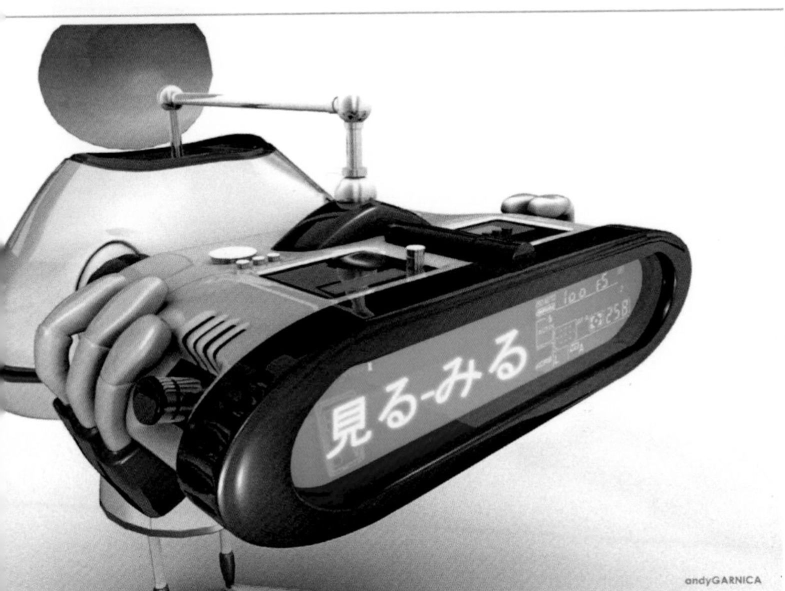

www.learnbots.com

Formal

みます	みません	みました	みません でした
みています	みていません	みていました	みていませ んでした

Informal

みる	みない	みた	みなかった
みている	みていない	みていた	みていなかった

Formal			
はなします	はなしません	はなしました	はなしませ んでし
はなして います	はなしてい ません	はなして いました	はなしていま せんでし

Informal			
はなす	はなさない	はなした	はなさな かった
はなしている	はなして いない	はなしていた	はなしてい なかっ

www.learnbots.com

Formal

みせます	みせません	みせました	みせませ んでした
みせています	みせてい ません	みせていました	みせていませんでした

Informal

みせる	みせない	みせた	みせなかった
みせている	みせていない	みせていた	みせてい なかった

www.learnbots.co

Formal

あびます	あびません	あびました	あびませ んでした
あびています	あびていません	あびていました	あびていま せんでし

Informal

あびる	あびない	あびた	あびなかった
あびている	あびていない	あびていた	あびてい なかった

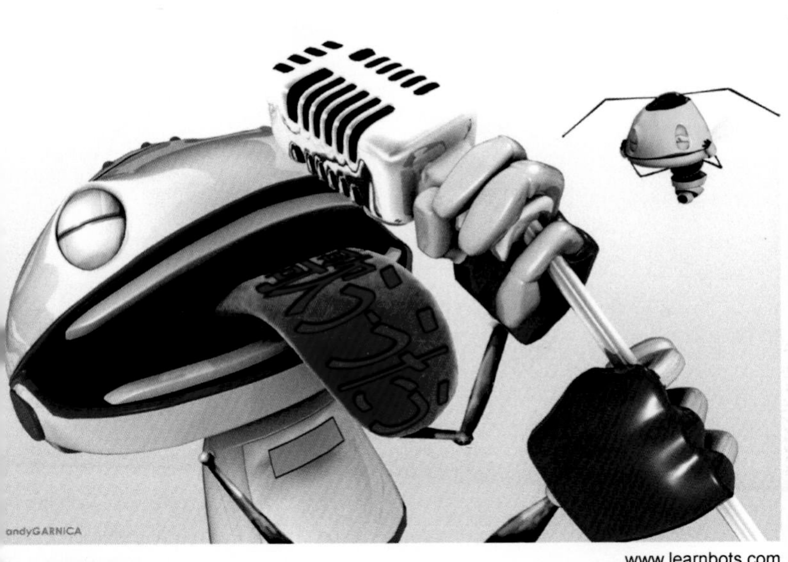

www.learnbots.com

Formal

うたいます	うたいません	うたいました	うたいませんでした
うたって います	うたってい ません	うたっていました	うたっていませんでした

Informal

うたう	うたわない	うたった	うたわなかった
うたっている	うたって いない	うたっていた	うたってい なかった

www.learnbots.c

Formal			
すわります	すわりません	すわりました	すわりませ んでし
すわっています	すわってい ません	すわって いました	すわっていま せんでし

Informal			
すわる	すわらない	すわった	すわらな かった
すわっている	すわっていない	すわっていた	すわってい なかっ

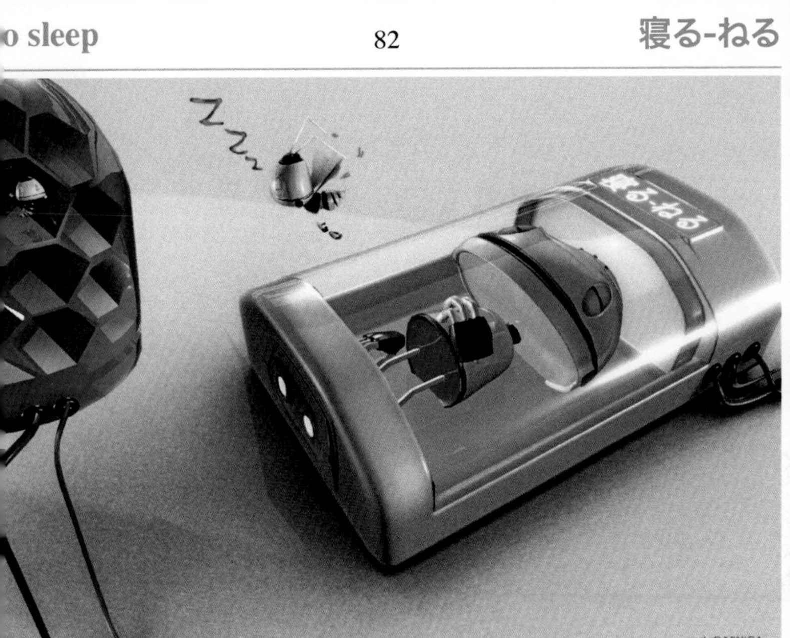

www.learnbots.com

Formal

ねます	ねません	ねました	ねませんでした
ねています	ねていません	ねていました	ねていませんで した

Informal

ねる	ねない	ねた	ねなかった
ねている	ねていない	ねていた	ねていなかった

www.learnbots.c

Formal

はじめます	はじめません	はじめました	はじめませ んでし
はじめて います	はじめてい ません	はじめて いました	はじめていま せんでし

Informal

はじめる	はじめない	はじめた	はじめな かった
はじめている	はじめて いない	はじめていた	はじめてい なかっ

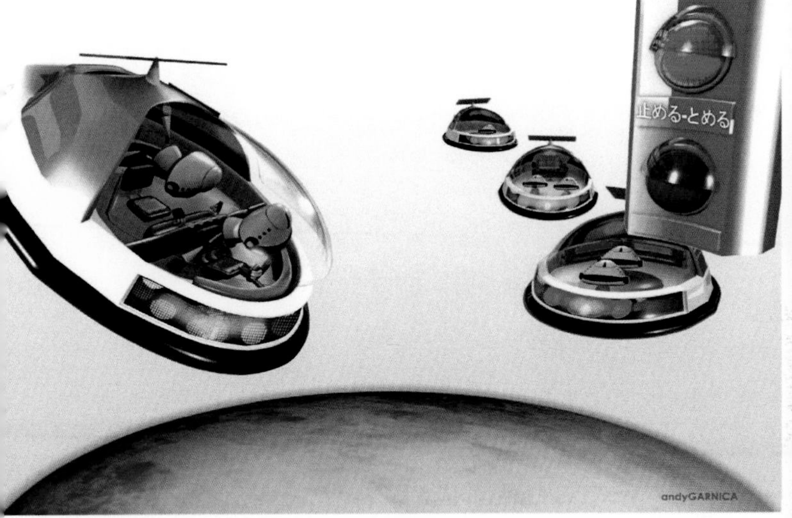

www.learnbots.com

Formal

とめます	とめません	とめました	とめませ んでした
とめています	とめてい ません	とめていました	とめていませんでした

Informal

とめる	とめない	とめた	とめなかった
とめている	とめていない	とめていた	とめていな かった

www.learnbots.cor

Formal

さんぽします	さんぽしません	さんぽしました	さんぽしま せんでした
さんぽしています	さんぽしていません	さんぽしていました	さんぽしてい ませんでし

Informal

さんぽする	さんぽしない	さんぽした	さんぽし なかった
さんぽしている	さんぽしていない	さんぽしていた	さんぽして いなかっ

www.learnbots.com

Formal

べんきょう します	べんきょうしません	べんきょうしました	べんきょうしませんでした
べんきょう しています	べんきょうしていません	べんきょうしていました	べんきょうしていませんでした

Informal

べんきょうする	べんきょうしない	べんきょうした	べんきょうしなかった
べんきょうしている	べんきょうしていない	べんきょうしていた	べんきょうしていなかった

www.learnbots.co

Formal

およぎます	およぎません	およぎました	およぎませ んでした
およいで います	およいで いません	およいで いました	およいでいま せんでした

Informal

およく	およがない	およいた	およがな かった
およいでいる	およいていない	およいでいた	およいでいなかった

www.learnbots.com

Formal

はなします	はなしません	はなしました	はなしませ んでした
はなして います	はなしてい ません	はなして いました	はなしていま せんでした

Informal

はなす	はなさない	はなした	はなさな かった
はなしている	はなしていない	はなしていた	はなしていなかった

www.learnbots.c

Formal

ためします	ためしません	ためしました	ためしませ んでし
ためして います	ためしてい ません	ためして いました	ためしていま せんでし

Informal

ためす	ためさない	ためした	ためさな かった
ためしている	ためして いない	ためしていた	ためしてい なかっ

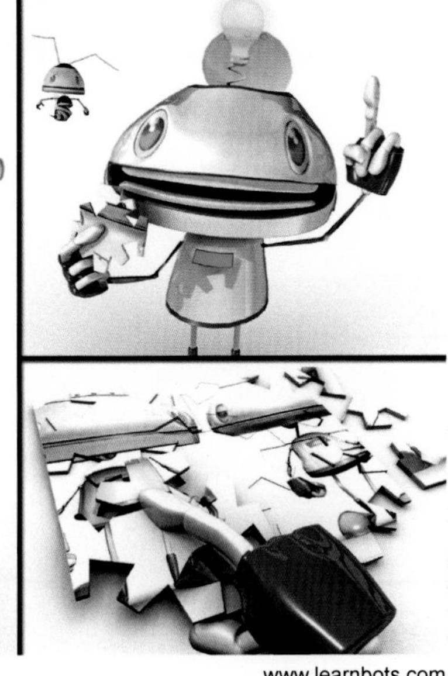

www.learnbots.com

Formal

かんがえます	かんがえません	かんがえました	かんがえま せんでした
かんがえています	かんがえていません	かんがえていました	かんがえてい ませんでした

Informal

かんがえる	かんかえない	かんがえた	かんがえ なかった
かんがえている	かんがえていない	かんがえていた	かんがえて いなかった

Formal

りょこうします	りょこうしません	りょこうしました	りょこうしま せんでし
りょこうし ています	りょこうしていません	りょこうしていました	りょこうしてい ませんでし

Informal

りょこうする	りょこうしない	りょこうした	りょこうし なかった
りょこうし ている	りょこうしていない	りょこうしていた	りょこうして いなかっ

andyGARNICA

www.learnbots.com

Formal

つまずきます	つまずき ません	つまずきました	つまずきませんでした
つまずいています	つまずいていません	つまずいていました	つまずいていませんでした

Informal

つまずく	つますかない	つまずいた	つまずか なかった
つまずいている	つまずいていない	つまずいていた	つまずいて いなかった

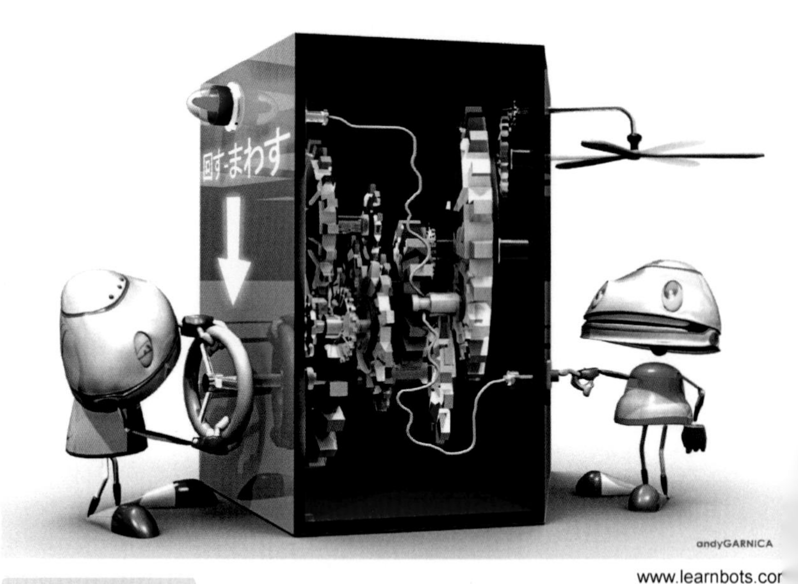

www.learnbots.cor

Formal

まわします	まわしません	まわしました	まわしませ んでした
まわして います	まわしてい ません	まわして いました	まわしていま せんでした

Informal

まわす	まわさない	まわした	まわさな かった
まわしている	まわしていない	まわしていた	まわしていなかった

www.learnbots.com

Formal

まちます	まちません	まちました	まちませ んでした
まっています	まっていません	まっていました	まっていませんでした

Informal

まつ	またない	まった	またなかった
まっている	まっていない	まっていた	まっていな かった

www.learnbots.com

Formal

おきます	おきません	おきました	おきませ んでした
おきています	おいていません	おきていました	おきていませ んでした

Informal

おきる	おきない	おきた	おきなかった
おきている	おきていない	おきていた	おきてい なかった

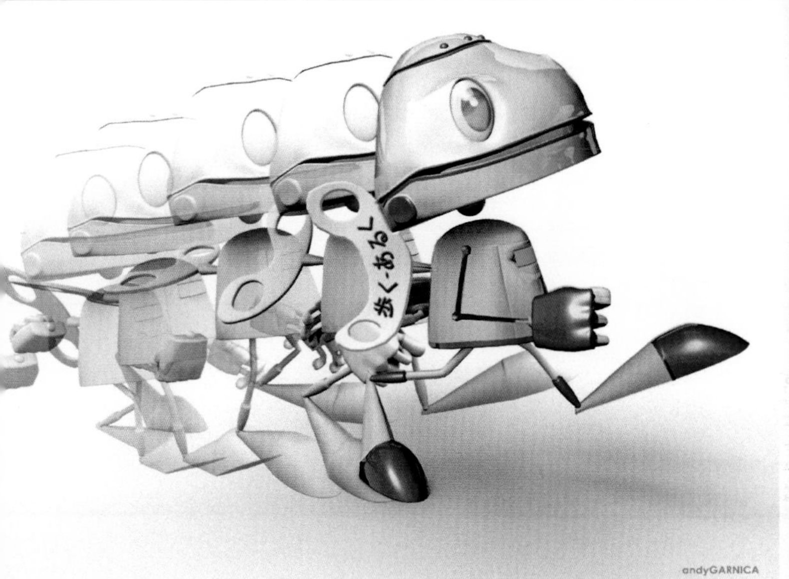

www.learnbots.com

Formal			
あるきます	あるきません	あるきました	あるきませ んでした
あるいて います	あるいて いません	あるいて いました	あるいていま せんでした

Informal			
あるく	あるかない	あるいた	あるかな かった
あるいている	あるいていない	あるいていた	あるいていなかった

andyGARNICA

www.learnbots.cor

Formal			
もとめます	もとめません	もとめました	もとめませんでした
もとめています	もとめていません	もとめてい ました	もとめていま せんでした

Informal			
もとめる	もとめない	もとめた	もとめな かった
もとめている	もとめていない	もとめていた	もとめてい なかっ

www.learnbots.com

Formal

ふります	ふりません	ふりました	ふりませ んでした
ふっています	ふっていません	ふっていました	ふっていま せんでした

Informal

ふる	ふらない	ふった	ふらなかった
ふっている	ふっていない	ふっていた	ふってい なかった

Formal

みます	みません	みました	みません でした
みています	みていません	みていました	みていませ んでし

Informal

みる	みない	みた	みなかった
みている	みていない	みていた	みていな かった

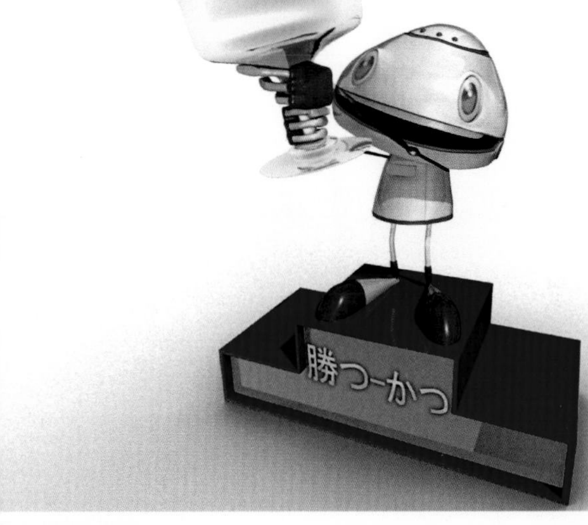

www.learnbots.com

Formal

かちます	かちません	かちました	かちませ んでした
かっています	かってい ません	かっていました	かっていませんでした

Informal

かつ	かたない	かった	かたなかった
かっている	かっていない	かっていた	かっていな かった

Formal

かきます	かきません	かきました	かきませ んでし
かいています	かいていません	かいていました	かいていま せんでし

Informal

かく	かかない	かいた	かかなかった
かいている	かいていない	かいていた	かいてい なかっ

Index

English

to arrest 1
to arrive 2
to ask (for) 3
to be 4
to be 5
to be able 6
to be quiet 7
to bring 8
to build 9
to buy 10
to call 11
to carry 12
to change 13
to clean 14
to close 15
to comb 16
to come 17
to cook 18
to count 19
to crash 20
to create 21
to cut 22
to dance 23
to decide 24
to direct 25
to dream 26
to drink 27
to drive 28
to eat 29
to enter 30
to fall 31
to fight 32
to find 33
to finish 34
to follow 35
to forbid 36
to forget 37
to get dressed 38
to get married 39
to give 40
to go 41
to go down 42
to go out 43
to grow 44
to have 45
to hear 46
to jump 47
to kick 48
to kiss 49
to know 50
to learn 51
to lie 52
to light 53
to like 54
to lose 55
to love 56
to make 57
to open 58
to organise 59
to paint 60
to pay 61
to play 62
to polish 63
to put 64
to quit 65
to rain 66
to read 67
to receive 68
to record 69
to remember 70
to repair 71
to return 72
to run 73
to scream 74
to search 75
to see 76
to separate 77
to show 78
to shower 79
to sing 80
to sit 81
to sleep 82
to start 83
to stop 84
to stroll 85
to study 86
to swim 87
to talk 88
to test 89
to think 90
to travel 91
to trip 92
to turn 93
to wait 94
to wake up 95
to walk 96
to want 97
to wave 98
to watch 99
to win 100
to write 101

Index

Japanese

逮捕する-たいほする 1
着く-つく 2
頼む-たのむ 3
です 4
居る-いる 5
出来る-できる 6
(静かに-しずかに)するしずかに)する 7
運ぶ-はこふ 8
買う一かう 9
呼ぶ-よふ 10
運ぶ-はこふ 11
変える-かえる 12
(綺麗に)する 13
閉める-しめる 14
梳かす-とかす 15
来る-くる 16
造る-つくる 17
料理する-りょうりする 18
数える-かぞえる 19
ぶつかる 20
創る-つくる 21
切る-きる 22
踊る-おどる 23
決める-きめる 24
示す-しめす 25
(夢を)見る-みる 26
飲む-のむ 27
運転する-うんてんする 28
食べる-たべる 29
入る-はいる 30
落ちる-おちる 31
戦う-たたかう 32
見つける-みつける 33
終わる-おわる 34
ついて行く-ついていく 35
禁止する-きんしする 36
忘れる-わすれる 37
着る-きる 38
結婚する-けっこんする 39
あげる 40
行く一いく 41
降りる-おりる 42
離れる-はなれる 43
育つ-そだつ 44
持つ-もつ 45
聞く-きく 46
跳び上がる-とびあがる 47
蹴る-ける 48
キスする 49
知る-しる 50
学ぶ-まなふ 51
(嘘を)つく 52
(火を一ひを)つける 53
好む-このむ 54
無くす-なくす 55
愛する-あいする 56
作る-つくる 57
開ける-あける 58
整理する-せいりする 59
塗る-ぬる 60
払う-はらう 61
(-を)する 62
磨く-みがく 63
置く-おく 64
止める/辞める-やめる 65
(雨が)降る-ふる 66
読む-よむ 67
受け取る-うけとる 68
記憶する-きおくする 69
思い出す-おもいだす 70
直す-なおす 71
戻る-もどる 72
走る-はしる 73
調べる-しらべる 74
見る-みる 75
離す-はなす 76
叫ぶ-さけふ 77
見せる-みせる 78
浴びる-あびる 79
歌う-うたう 80
座る-すわる 81
寝る-ねる 82
始める-はじめる 83
止める-とめる 84
散歩する-さんぽする 85
勉強します-べんきょうします 86
泳ぐ-およく 87
話す-はなす 88
試す-ためす 89
考える-かんがえる 90
旅行する-りょこうする 91
躓く-つまずく 92
回す-まわす 93
待つ-まつ 94
起きる-おきる 95
歩く-あるく 96
求める-もとめる 97
振る-ふる 98
見る-みる 99
勝つ一かつ 100
書く-かく 101